W9-ASR-821

DATE DUE

© 2004, Ediciones Santillana S.A.
Beazley 3860 (1437) Buenos Aires

© De esta edición:
2004, Santillana USA Publishing Company, Inc.
2105 NW 86th Avenue
Miami, FL 33122, USA
www.santillanausa.com

Altea es un sello editorial del **Grupo Santillana**. Éstas son sus sedes:

ARGENTINA, BOLIVIA, CHILE, COLOMBIA, COSTA RICA,
ECUADOR, EL SALVADOR, ESPAÑA, ESTADOS UNIDOS,
GUATEMALA, MÉXICO, PANAMÁ, PARAGUAY, PERÚ, PUERTO RICO,
REPÚBLICA DOMINICANA, URUGUAY Y VENEZUELA.

ISBN: 1-59437-562-3

Impreso en Colombia por D'vinni

EL BAÚL DE
LOS ANIMALES

Un libro sobre los opuestos

COLECCIÓN
EL BAÚL

¿QUÉ ANIMAL ES MÁS LIVIANO,
AUNQUE LLEVE MIL COLORES?

LA MARIPOSA EN EL VIENTO,
ABANICO DE LAS FLORES.

TAMBIÉN SON
LIVIANAS LAS HOJAS,
LAS PLUMAS,
¿Y QUÉ MÁS?

¿Y QUÉ ANIMAL TE PARECE
QUE RESULTA EL MÁS PESADO?

UNO CON TROMPA, ELEFANTE,
QUE NI VUELA NI HA VOLADO.

¿QUÉ ANIMAL ES EL MÁS CLARO
EN ESTA NOCHE ESTRELLADA?

EL OSO POLAR, QUE ANDA
SIN GUANTES Y SIN BUFANDA.

¿Y QUÉ ANIMAL OSCURO
ES YA SOMBRA CONGELADA?

UNA PANTERA DE HIELO,
NEGRA, BRILLANTE Y LUSTRADA.

¿QUÉ ANIMAL ES TAN PELUDO
QUE HASTA EN LA VOZ TIENE LANA?

NO ME ACUERDO, NO ME ACUERDO,
¿QUIÉN SABE CÓMO SE LLAMA?

¿Y QUÉ ANIMAL BIEN PELADO
NO USA PEINE NI GOMINA?

ES EL ÑANDÚ QUE, SIN PELO,
NI A UN MOÑITO SE ANIMA.

¿QUÉ OTROS
ANIMALES
PELADOS HAY?

¿QUÉ ANIMAL ES EL MÁS GRANDE,
MEDIDO CON REGLA DE AGUA?

LA MÁS GRANDE ES LA BALLENA,
UNA ISLA AZUL QUE AVANZA.

¿Y QUÉ ANIMAL, QUE ES PEQUEÑO,
SALTA Y NADA, NADA Y SALTA?

ES PEQUEÑO EL CORNALITO,
QUE DE LA RED SIEMPRE ESCAPA.

PEQUEÑOS
COMO LOS
CORNALITOS SON...

¿QUÉ ANIMAL, QUE ES EL MÁS GORDO,
NUNCA SE TREPA A UNA RAMA?

EL HIPOPÓTAMO, CLARO,
QUE ROMPE LIANA TRAS LIANA.

¿Y QUÉ ANIMAL ES MUY FLACO,
CON TRAJE DE MIL ESCAMAS?

LA SERPIENTE QUE, EN LA SELVA,
ES CAMPEONA DE ACROBACIA.

¡Disfruta todos los libros de la colección EL BAÚL!
mientras aprendes importantes conceptos

EL BAÚL DE
MIS FIESTAS
Un libro sobre los colores

EL BAÚL DE
MIS AMIGOS
Un libro sobre el tiempo y las estaciones

EL BAÚL DE
LOS OFICIOS
Un libro sobre las vocales

COLECCIÓN
EL BAÚL

COLECCIÓN
EL BAÚL

COLECCIÓN
EL BAÚL

Santillana

Santillana

EL BAÚL DE
MIS JUGUETES

Un libro sobre figuras y cuerpos

COLECCIÓN
EL BAÚL

EL BAÚL DE
MI MUNDO

Un libro sobre los tamaños

EL BAÚL DE
OS ANIMALES

obre los opuestos

EL BAÚL DE
LOS TRANSPORTES

Un libro sobre los números

EL BAÚL DE
MIS PASEOS

Un libro sobre nociones espaciales

COLECCIÓN
EL BAÚL

COLECCIÓN
EL BAÚL

Altea
Santillana

Altea
Santillana

Santillana

© 2004, Santillana USA Publishing Company, Inc.
2105 NW 86th Avenue
Miami, FL 33122, USA
www.santillanausa.com
Impreso en D'vinni
Santafé de Bogotá, Colombia